D1276968
MASONVILLE

La vraie histoire de
Léo Pointu

Pour Théo, à qui je souhaite
d'aller au bout de ses rêves les plus fous!
Rogé

Catalogage avant publication de Bibliothèque et Archives nationales du Québec et Bibliothèque et Archives Canada

Rogé, 1972-
La vraie histoire de Léo Pointu
Pour enfants.

ISBN 978-2-89512-660-7 (rel.)
ISBN 978-2-89512-661-4 (br.)

I. Titre.
PS8635.034V47 2008 jC843'.6 C2008-940246-4
PS9635.034V47 2008

Directrice de collection : Lucie Papineau
Direction artistique et graphisme : Primeau & Barey
Dépôt légal : 3e trimestre 2008
Bibliothèque nationale du Québec
Bibliothèque nationale du Canada

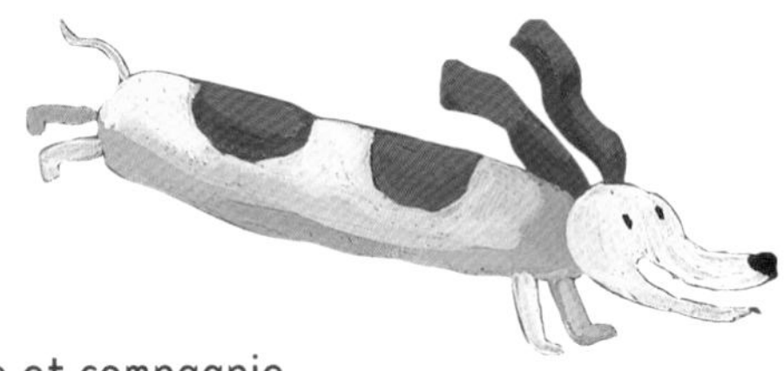

Dominique et compagnie
300, rue Arran, Saint-Lambert (Québec)
Canada J4R 1K5
Téléphone : 514 875-0327
Télécopieur : 450 672-5448
Courriel :
dominiqueetcie@editionsheritage.com

www.dominiqueetcompagnie.com

Imprimé en Chine

Nous remercions le Conseil des Arts du Canada de l'aide accordée à notre programme de publication.

Nous reconnaissons l'aide financière du gouvernement du Canada par l'entremise du Programme d'aide au développement de l'industrie de l'édition (PADIÉ) pour nos activités d'édition.

Nous reconnaissons l'aide financière du gouvernement du Québec par l'entremise du Programme crédit d'impôt pour l'édition de livres – SODEC – et du Programme d'aide aux entreprises du livre et de l'édition spécialisée.

La vraie histoire de
Léo Pointu

Rogé

Voici l'histoire vraie de Léo Pointu, rémouleur de père en fils.

À Sainte-Égoïne, c'était lui le spécialiste de l'aiguisage en tout genre. Il affûtait tous les outils qui font « coui coui ». Les couteaux, les patins, les scies, il leur donnait une deuxième vie en criant ciseaux !

Léo vivait dans un petit camion orange qu'il avait hérité de son papa. Son papa l'avait reçu de son père qui, lui, l'avait obtenu en échange d'une poule et de trois cochons. Tous les matins, Léo se levait, se faisait la barbe, mangeait deux rôties aux oignons et s'installait au volant de son commerce à roulettes.

Il parcourait chaque rue de Sainte-Égoïne en faisant sonner sa clochette. C'est alors qu'apparaissait une file de clients voulant faire aiguiser toutes sortes d'outils.

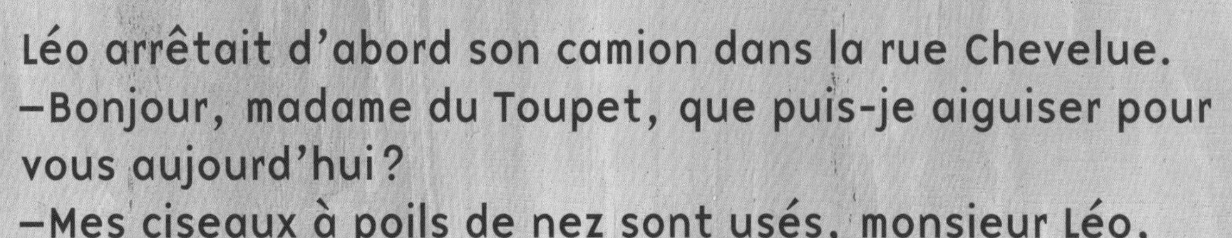

Léo arrêtait d'abord son camion dans la rue Chevelue.
–Bonjour, madame du Toupet, que puis-je aiguiser pour vous aujourd'hui?
–Mes ciseaux à poils de nez sont usés, monsieur Léo, et ceux à poils d'oreilles, c'est pareil!
–Ne vous faites plus de souci, c'est comme si c'était fait, madame du Toupet...

La meule du rémouleur se mettait à tourner, et tous les outils reprenaient vie!

Léo

Le camion du rémouleur continuait son chemin et s'arrêtait sur la grande place.
–Bonjour, monsieur Léo, voici ma scie chantante. Pouvez-vous aiguiser ses deux cent soixante-douze dents ? Et, cette fois-ci, j'aimerais bien que vous l'accordiez en si... C'est pour mon concert de ce soir !
–Ne vous faites plus de souci, monsieur Larchet... Elle saura envoûter votre auditoire.

Au rythme de sa meule, Léo accordait avec précision cette précieuse dentition.

C’était ensuite le tour du capitaine de l’équipe de hockey des Ours de Sainte-Égoïne.

–Bonjour, monsieur Aubut. Voulez-vous que j’affile vos patins?

–Oui, les voici. C’est moi qui les ai fabriqués. Avec trois lames par pied, je suis le plus rapide du quartier!

–Sans aucun doute... Assoyez-vous sur le banc, j’en ai pour un petit moment!

Léo
Poir

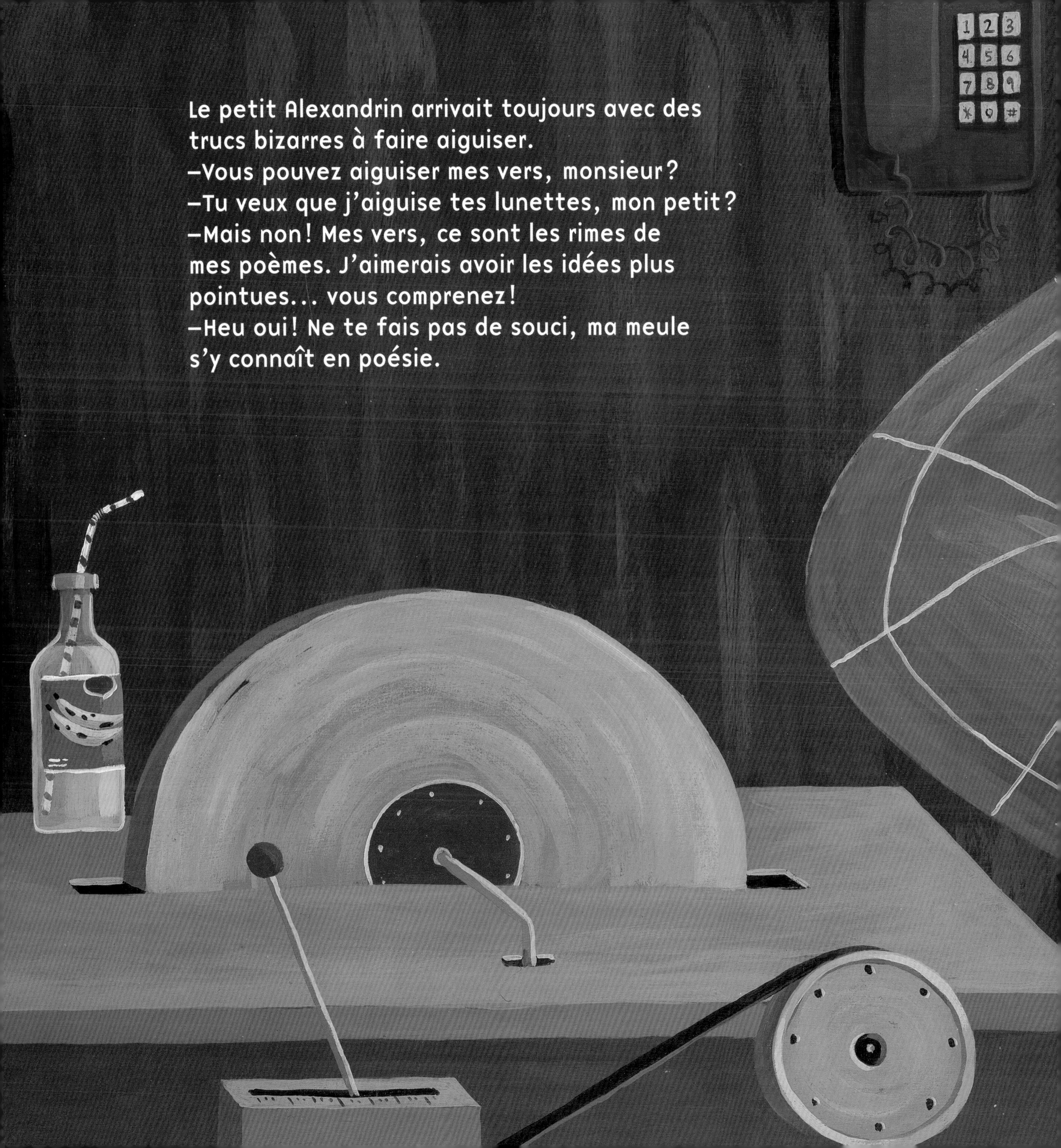

Le petit Alexandrin arrivait toujours avec des trucs bizarres à faire aiguiser.

–Vous pouvez aiguiser mes vers, monsieur?

–Tu veux que j'aiguise tes lunettes, mon petit?

–Mais non! Mes vers, ce sont les rimes de mes poèmes. J'aimerais avoir les idées plus pointues... vous comprenez!

–Heu oui! Ne te fais pas de souci, ma meule s'y connaît en poésie.

Ensuite, il fallait s'occuper des outils de la bouchère, qui était toujours accompagnée de monsieur Lebœuf, son tendre mari. Et puis des cinquante couteaux du célèbre lanceur masqué, de la grosse hache de monsieur Lépinette, des vingt griffes de Barbiche le petit caniche, des instruments de mademoiselle Lahaie, de la tondeuse de Simon, des cent dix canifs de la délégation scoute...

Bref, Léo ne manquait jamais
de boulot et le temps filait aussi
vite que sa meule affilait!

C’est ainsi qu’il devint le
super-héros de Sainte-Égoïne.

Un bon matin, Léo eut beau faire sonner sa clochette, aucun client ne se présenta.
–Que se passe-t-il, nom d'une meule ?
Les clients me font la gueule ?

Déçu, Léo décida de rebrousser chemin. Quelle ne fut pas sa surprise lorsqu'il découvrit un immense magasin ! Sur les affiches on pouvait lire « Affûteur en gros » et « Ici les prix sont coupés ».

DEPUIS 2008
AFFÛTEUR
* AFFÛTEUR EN GROS
ICI
LES PRIX
SONT COUPÉS

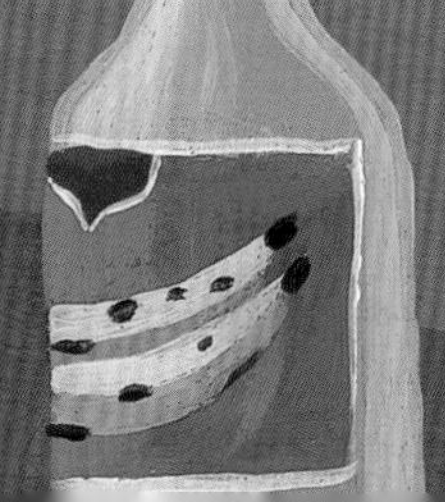

À l'intérieur du nouveau magasin, il y avait madame du Toupet, le lanceur masqué, monsieur Larchet, monsieur Aubut et même le petit Alexandrin. Bref, tous les clients de Léo se bousculaient afin de profiter des rabais. Il leur suffisait d'insérer dans l'une des machines l'objet à aiguiser, pour qu'il en ressorte comme neuf à l'autre extrémité.

Un haut-parleur diffusait une voix enregistrée qui répétait :

« Chez Affûteur en gros,
on aiguise tout ! »

« Aiguisez aujourd’hui
et ne payez que demain ! »

Éberlué par cette nouvelle technologie, Léo se demandait ce qu'il pourrait bien faire pour retrouver ses clients... Le cœur gros, mais ne perdant pas courage, il décida de quitter Sainte-Égoïne pour chercher du travail et redevenir un héros.

Dans son camion, il roula pendant des jours et des semaines. Partout, dans le moindre petit village, il se butait à cet écriteau «Affûteur en gros, ici les prix sont coupés».

Léo
Pointu

À Sainte-Égoïne, les mois passèrent et les habitants n'étaient plus du tout satisfaits du nouveau commerçant. D'abord les prix avaient doublé, car les machines avaient été remplacées par d'autres... qu'on disait plus sophistiquées.

Puis les ciseaux de madame du Toupet n'arrivaient plus à couper, et ses poils de nez avaient recommencé à friser. La scie chantante de monsieur Larchet faisait grincer des dents, et ses auditeurs criaient: « Remboursez-nous! » Quant au petit Alexandrin, il était resté coincé dans la machine pendant deux jours, et il avait arrêté d'écrire... prétextant que ses idées étaient tombées tout au fond.

Pour retrouver son inspiration, le petit poète décida d'aller contempler la mer. Une fois sur le quai, il s'assit pour méditer. C'est alors qu'il entendit d'étranges bruits.

Intrigué, il fit un plongeon pour voir d'où provenaient ces drôles de sons. Alexandrin eut le choc de sa vie ! Il venait de retrouver le héros des outils qui font « coui coui » !

Léo Pointu

Le petit Alexandrin s'empressa de retourner à Sainte-Égoïne pour tout raconter. Les gens du village n'en croyaient pas leurs oreilles. Ils se précipitèrent vers la mer, se demandant si c'était encore une de ces histoires sorties tout droit de l'imagination du petit poète...

Depuis ce jour, on entend chaque matin le chant d'une clochette venant de la mer.

Léo
Pointu

C’est ainsi que Léo Pointu, rémouleur de père
en fils, est redevenu le héros des habitants Sainte-Égoïne...
et de tous les environs !